미친 사랑 이야기

지은이 – 최상일

1973년 공주 출생
감리교신학대학교 및 동대학원 졸
전 알라스카 선교사
2011 극동방송 '두고 온 고향을 그리며' 칼럼 연재
2012 창조문예 신인작품상(시)
기독교문예 신인작품상 수상(시)
2013 공동시집: ‘시인들의 산책’ 발간
서울기독청년연합회 1집 음반
‘주여 나를 굴복시키소서’ 작사/작곡
현 서울기독청년연합회 대표
2010~현 Holy Week 대회 디렉터
현 감리교신학대학교 영성수업 지도교수
현 은정감리교회 담임목사

미친사람이야기는 저자의 첫 개인출판물입니다.
수익금은 서울기독청년연합회 청년선교사역에 드려집니다.

미美친親사랑이야기는

"아름다운 친구 예수님의 사랑이야기"

"미치지 않고서는 할 수 없는 하나님의 사랑이야기"

두 가지 의미를 담고 있습니다.

Part I 미(美) 아름다운 눈물 이야기

Part II 친(親) 가까이 계신 하나님 이야기

Part III 사(死) 십자가의 죽음 이야기

Part IV 랑(郞) 노래가 된 사랑이야기

미친사랑 이야기

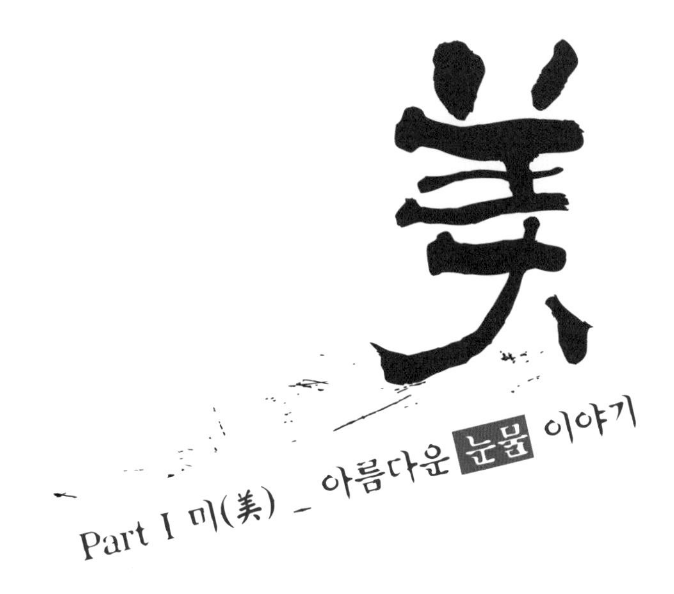

Part I 미(美) _ 아름다운 눈물 이야기

平行線 _ 평행선

아주 가까운 듯이
결코 만나지 않는
철길의 두 선을 본다

그들은 한 곳에서 자랐고
한 곳에 놓였으며
한 가지 꿈을 꾸고
한 가지 사랑을 하지만

그들이 서로 만나기를 원한다면
기차는 그들 위를 지나갈 수 없다

철길을 만든 조물주는
그것을 '뜻'이라 하였고
그 뜻에 따라 놓여진 그들은
그것을 슬픈 운명인 줄 알았다

그러나
그들 위로 가로 놓여진
수많은 버팀목들을 보라
녹슬어 버릴 만남보다
더 소중한 이야기,
서로를 버텨주는 기도

오늘도 그들 위로
수많은 사람들을 실은 기차가 지나가고
그들은 영원히 행복할 수 있다

Epilogue – (CD Track 5)

"영원히 네게 다가 갈 수도 없고 영원히 너를 떠날 수도 없는
그런 쓰린 가슴을 안고 또 걸어도 나는 울지도 않네..."

하나님이 알게 하신 아름다운 사랑
너로 인해 행복을 알았고
너로 인해 슬픔도 알았다

때로는 아련한 기억 속에 묻고
때로는 잡힐 듯한 꿈속에서 살아난다

情…

언제나 그 자리에 있는
가슴속의 아련함
그걸 가리켜 정이라고 하나보다

그러나
내 안에서는 필수 없는 꽃
그래 가슴속에서 베어낸 사랑
한동안 쓰라렸던
그 뿌리 뽑힌 자리도
이젠 아물어간다

너 거기서 새로운 꽃을 피우라
하나님이 알게 하실 아름다운 사랑 안에,
너 거기서 활짝 웃으라
눈물자죽까지 삼켜버릴 빛같이 눈부신 날에
네 소원 주안에서
아름답게 이루어지길

НАЧАЛЬНИК

豫感 _ 예감

밤새 속삭거리던 전화기를 내려놓을 때
갑작스런 두려움이 밀려왔습니다

알 수 없는 설레임에 두근거리던 가슴속에
깊은 슬픔의 기억이 되살아났습니다

항상 그랬듯이
아닌 것은 결국 아니기에
그렇게 그 끝을 알면서도
가던 걸음 멈추기가 쉽지 않습니다

하고 싶은 말을 하지 않아야 합니다
듣고 싶은 말에 귀 막아야 합니다
짧은 행복과 긴 슬픔을 주는 것보단
아무것도 주지 않는 게 낫기 때문입니다

평범한 행복은
적어도 내게는
어쩌면 당신에게도
평범하지 않은 인내와 용기를 필요로 하나봅니다

To Frost

당신의 이름은 Frost

밤새도록 하늘이 꾸었던 꿈들이다

작은 불빛처럼 돌아다니다

버릇없이 내 자동차 유리에 내려앉아

하얀 꿈들을 속삭이지만

아침이면

나는 날카로운 기계로 그것들을 밀어내 버리고

또 치열한 하루를 살기 위해

모든 설레임의 흔적을 지워버린다

그러면 당신은

눈물처럼 대기 중에 흩날려져버리니

이제는 제발 간직할 수 있는

그 무엇 되어 돌아와다오

별이 보고 싶다

너는 별이 보이지 않는 하늘을 슬퍼했다

나는 별이 보이지 않는 네 마음이 슬프다

희뿌연 매연 때문일까 아니면 없음일까

유리

내 앞에 잘 닦여진 유리처럼
당신의 존재를 잊고 살아갑니다
아 정말 그랬죠
하지만 가끔
내 삶에 견디기 힘든 아픔이 찾아 올 때
날카롭게 긁혀진 뿌연 상처들로
거기 유리의 존재를 알게 되 듯
내 삶의 아픔들로
어딘가 당신이 있음을 기억합니다
겨우 하룻밤의 눈물
그럼에도 내가 착하다고 생각했던 어리석음
이 아픔들을 만나기 전까지
난 정말 당신의 아픔을 알지 못했습니다
만약 당신을 다시 보게 된다면
글쎄요...
내가 할 수 있는 것은 아무것도 없겠죠
너무 착해서 불행했던 당신
그저 행복하길
빌께요

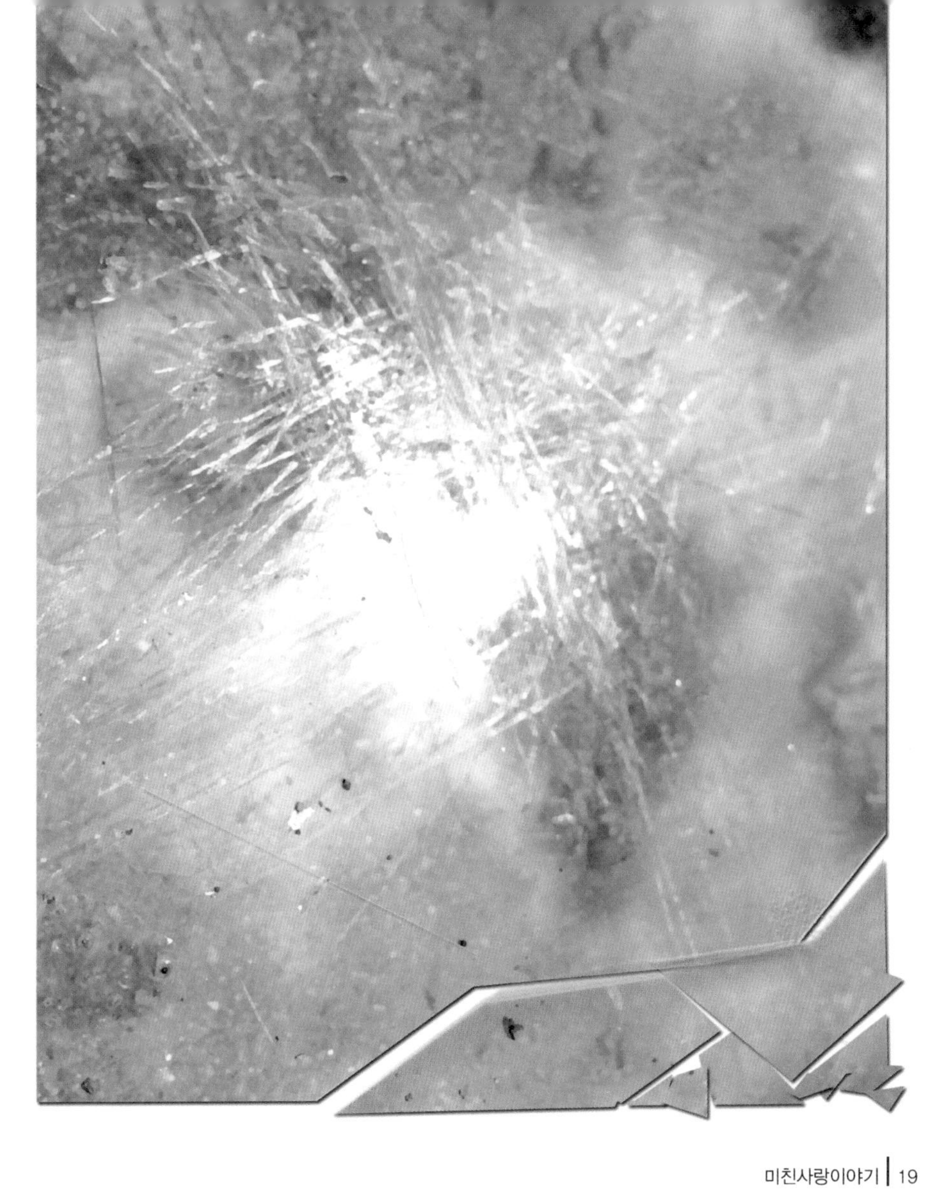

사람들이 그래서 죽나 봅니다

사람들이 그래서 죽나 봅니다

사람들이 그래서 죽나 봅니다
사람들이 그래서 죽나 봅니다
예전에 참 못난 것들이라고 웃어넘겼는데
이제 내가 그 못난 인간이 되어 있습니다

어떻게 해야 할까요
용기를 더욱 내 볼까요
아니면 빨리 포기해야 할까요
이것도 저것도 너무 감당하기 힘들다는 걸 압니다

그녀 앞에서만큼은 흔들리지 않았으면 좋겠습니다
그녀 앞에서만큼은 자신 있어 보였으면 좋겠습니다
난 여전히 잘 되기를 기도하는데
자꾸 수척해져 가는 내 얼굴이
그녀를 이미 걱정시키는 것 같습니다

사람들이 그래서 죽나봅니다
소설에나 나오는 이야기라고 생각했는데
이제 내가 그 소설 속의 주인공이 되어 있습니다
제발 이 소설이...
행복하게 끝났으면 좋겠습니다

아브라함이 그 아들을 진정으로 내려놓았기 때문에
하나님이 이삭의 생명을 취하지 않으시고
주신 것이 아닐까 생각하며 쓴 시

희망 죽이기

희망을 갖기 위해 희망을 버려야 한다

그런데 마침내 희망을 가질 수 있게 되었을 때

더 이상 희망하지 않게 될까 봐 그게 두렵다

죽지 않으려는 희망이 불쌍하다

시간의 단위는 사람을 힘겹게 한다
꿈을 꾼 걸까
아득한 기억처럼 멀어졌다가
저린 숨결처럼 만져지는…

차라리
꿈이었으면 좋겠다
아니면
꿈에라도 보았으면 좋겠다
아니
꿈에서조차 잊혀졌으면 좋겠다

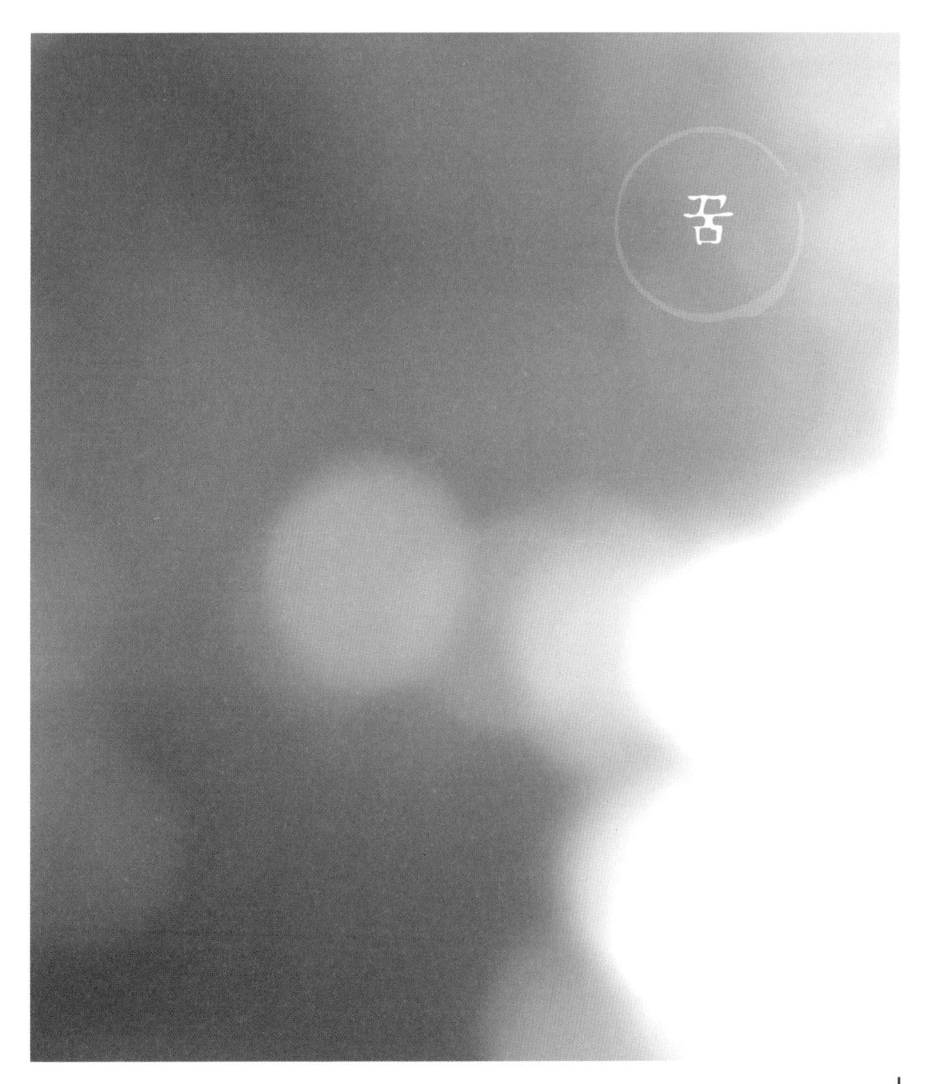
꿈

Turning Point

소녀가 모퉁이를 돌아선 후에도

그 자리를 뜨지 못하던 소년은

해질녘 쏟아지는 비를 맞고

그제야 집으로 돌아갔습니다

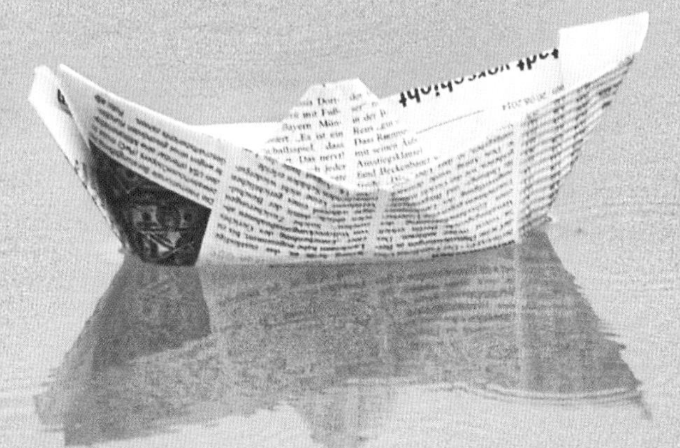

그리곤 소녀가 만들어주었던

마지막 남은 작은 종이배를

흘러가는 빗물에 띄워보냈습니다.

안녕… 종이배…

지치지 않는 행복감
잠들 수 없는 따뜻함
알 수 없는 미소의 이유
거기에 너가 있었다

가만히 들어와 수북히 쌓인 먼지를 털어내고
내 어두운 방을 청소한다
창문이 열리고 햇살이 쏟아 질 때
그 눈부심 사이로 너가 있었다

얼마 만에 느끼는 따스함인가
가슴 속 신선한 공기인가
갑작스런 즐거움에 쑥스러워 하는
내 앞에 너가 있었다

괜시리 바보가 되어
히죽거리는 나를 보고
행복이라 말하는 지금
내 곁에 바로 너가 있다

너가 있다

햇볕바람 …
그리고 당신

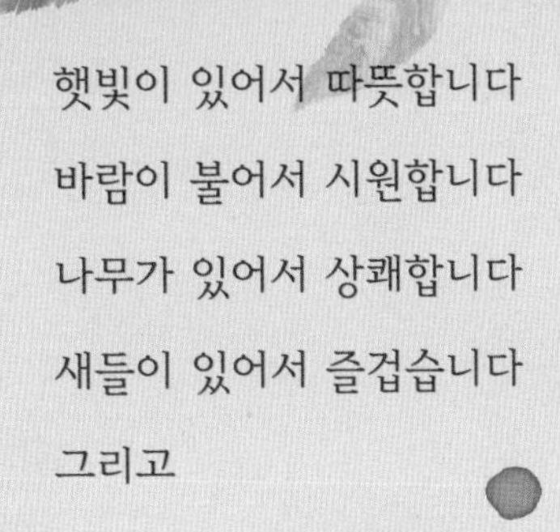

햇빛이 있어서 따뜻합니다

바람이 불어서 시원합니다

나무가 있어서 상쾌합니다

새들이 있어서 즐겁습니다

그리고

.

.

.

당신이 있어서 행복합니다

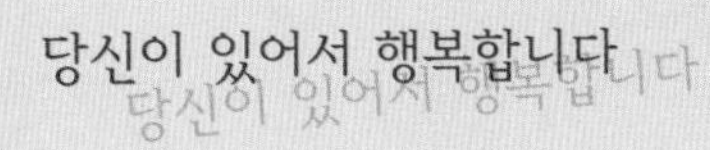

율법아래있는 나무

위선, 참소, 후회, 연민, 그리고 지루한 진실게임...

체질이 되어 버린 욕심의 피는

때로 우리의 뇌혈관을 흘러 파멸로 몰아가고

한순간의 눈물로는 좀처럼 패이지 않는

아주 두터운 껍질이 되었다

주여, 위로보다는 칼을 대소서... 차라리 내게는 아픔이 편하니

아. 아니

주여, 칼을 거두소서... 진노의 무게를 전혀 예측할 수 없으니

그분이 칼을 대든,

그게 두려워 내 스스로 칼을 대든

신실함이란 속살이 드러나기 까지는 계속될 고통인가 보다

어느 왕자병 환자의 수기

사랑하지 않는 사람에게
사랑한다 말해주는 건
참 힘든 일이죠

사랑하지 않는 사람에게
사랑하지 않는다고 말해주는 건
참 미안한 일이죠

사랑하는 사람에게
사랑하지 않는다고 말해주는 건
참 슬픈 일이죠

힘든 건 지났고
미안한 것도 겪었는데
이젠 좀 슬프군요

그런 건 아니라고 웃어넘긴 세월
그렇게 묻어둘 영원의 가슴앓이
사랑하는 사람에게 사랑한다 말하면
힘들고 미안하고 슬퍼질 테니까

이불속에서 혼자 네 이름을 불러
이젠 사랑할 수 없는 네 이름
그런데
사랑한다고

한번도
해보지 못한 말을
이제야 숨죽이고 말해
정말
사랑한다고

결국 좋으신 하나님

아무렇지도 않은 듯 칼 같이 내 뱉은 말들…
그러나 가슴 속 깊이 저려오는 아픔,
기도실 무릎 꿇었던 자리 눈물 자국에
아주 소박한 꿈이었다고 생각했으나
아주 절실한 소원이었음을 알게 되었다

사는 게 참 내 맘대로 되지 않는 구나
결국 모든 건 하나님의 뜻대로 되어 지고 말아
그러나 그것이야말로 가장 선함 것임을

수많은 고통의 세월을 통해 얻은 학습의 결과는
그 땐 너무 원망스러우나
지나고 나면 고마운 하나님이라는 것이다

현실을 받아들이자
집착은 새로운 것을 향해 손 뻗을 수 없게 하지만
포기는 새로운 축복을 담을 공간을 마련 한다

미래의 축복을 볼 수 있는 눈
그래 눈물 닦으며 웃을 수 있는 마음
그것을 믿음이라 했다
이게 인생의 끝은 아니니까
우리 앞에 펼쳐진
더 좋은 날들을 위해

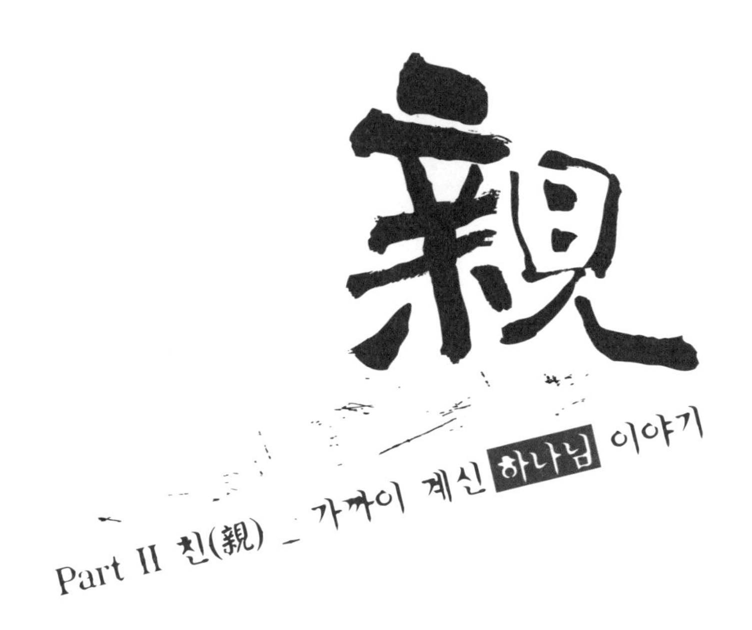

Part II 친(親) _ 가까이 계신 하나님 이야기

禁食中一首詩

_ 금식중일수시

목구멍이 자꾸 물을 달라고 한다
나는
인간이 얼마나 의존적인 존재인가 깨달았다
그 무엇이 있어야 사는...
한 방울의 물이 필요하다
그러나 나는
내 목구멍에게 물을 주지 않는다
내 밥통에게 밥도 주지 않는다
나는
하나님에게 의존적인 존재이기 때문이다
아
목마르다
예수님은 얼마나 목마르셨을까
이 목마름으로
나의 영원한 갈증이 해갈될 수 있다면...
주님
제게 물을 주십시오
영원히 목마르지 않는
사마리아 우물가의 기적
나는 몇날 후
실컷 마시고
실컷 먹겠다

불면증

오만한 하루를 마치고
다시 까맣게 잊고 있던 내면의 세계를 들어설 때
다시 찾아오는 두려움

쉬고 싶은 소원 대신
멈추어 지지 않는 생각
지쳐 쓰러질 듯한 육신 대신
지치지 않는 박동소리

내 몸조차 내 맘대로 할 수 없는
내 생각조차 내가 통제할 수 없는
나는 무력한 존재

주님,
저는 지쳤습니다
그렇게 기대다
나는
아주 사소한 은혜의 놀라움을 구하는 몇 안 되는 사람이 되고
나는 아주 놀라운 은혜의 사소함에 잠들다

세상이 비로소 한가지 색깔을 내면 세상은 지극히 순결하다
세상의 온갖 더러움을 덮어버리는 신비한 마술은
십자가의 보혈이 주는 칭의(稱義)의 은혜(恩惠)와 같다

세상이 비로소 한가지 색깔을 내면 세상은 너무나 포근하다
가장 차가운 결정체로 만드신 가장 따뜻한 느낌은
서슬퍼른 형틀이 사랑스러운 이유와 같다

세상이 비로소 한가지 색깔을 내면 세상은 더욱 적막하다
그러면 나는 더욱 하나님께 집중할 수 있다
더욱 분명히 들을 수 있다
언덕위에 홀로 남겨진 그분처럼
그곳엔 오직 아버지와 나...
세상이 비로소 한 가지 색깔을 내면
세상은 비로소 처음이 된다

2003년 어느 겨울 새벽, 알라스카의 하얗게 눈 덮인 땅을 보며

내가 눈을 좋아하는 세가지 이유

Suicide

사라져버리고 싶은 충동
흐트러져버리고 싶은 유혹
난 안다
모든 불행과 슬픔은 지극히 상대적이라는 것을
그래서 날 슬프게 하는 세상을 떠나 버리고 싶은건가
세상이 더 이상 날 상대할 수 없도록
그럼에도
끈질기게 나의 존재를 지탱하는 건
죽음에 대한 두려움이 아니다
하나님의 생명을 맞바꾼 희생
그것을 헛되이 하는 죄에 대한 형벌
그리고 남은 자들에게 떠넘겨질 아픔에 대한 두려움이다.
그걸 보면
난 충분히 이기적이지 못하다
내가 아닌 누군가를 위해
난 가차 없이
간편한 자유를 꿈꾸는 나를 죽이고
허허 멀쩡한 채 살아간다

죽지 않으려
매일 반복되는
suicide...

Tears
Tears inside
Those are poison
Tears out to God
Those are medicine

2004년 11월 14일의 일기

오늘 어느 작은 교회 부흥회에 갔다.
남들 박수 칠 때 가만히 있었다.
강사님 열심히 설교하실 때 바닥만 쳐다봤다.
남들 일어날 때 나 혼자 앉아 있었다.
하지만 남들 소리 내 기도할 때...
난 누구보다 많은 눈물을 쏟았다.
그동안 혼자 삭이고 삭였던 눈물들..
그래 마음속에 병이 든 고통들을 난 하나님께 쏟아냈다.
무슨 말로 기도해야 할지 몰라 그냥 울었고
뭔가 분명한 응답을 듣고 싶었지만 하나님은 그런 나를 그냥 보기만 하셨다.
누군가 내 머리에 손을 얹고 기도할 때도 난 그저 흐느껴 울기만 했고
하나님은 그런 나를 역시 그냥 보기만 하셨다.
그런데..
그냥 눈물을 흘린 것뿐인데..
내 마음은 많이 가벼워졌다.
하나님은 내 아픔들 중 일부를 좀 덜어주셨다.
마음속에 흘리는 눈물들은 나를 병들게 했지만
하나님께 쏟아놓은 눈물들은 나의 마음을 치료하고 있었다.

난 맨발로 걸어도 좋다

누군가 아우디 사고 행복해 할 때
누군가 렉서스 타고 뽐내며 지나갈 때
신발까지 벗어 주님께 드린 나는
맨발로 걸어도 저네들보다 훨씬 행복하다..

푸르른 나무와..
새들의 지저귐 속을 걸으며..
가방 하나를 둘러매고..
나 휘파람을 불겠소

어린 아이가 되고 싶다

하나님 앞에서
아주 어린 아이가 되고 싶다

아무리 큰 실수를 해도 받아들여지는
어린 아이가 되고 싶다

아무리 땡깡을 부려도 밉지 않은
어린 아이가 되고 싶다

그렇게 울다가 지쳐 잠들면 그만인
어린 아이가 되고 싶다

나이 서른이 넘은 아이...
아무도 몰래 투정을 부린 나는
창피한 줄도 모르고 살짝 행복하다

새벽 기도

날 꼭 품어주신 시간

그 품속에서

옹아리를 틀다

먼동이 터버린 시간

하나님 아버지

아버지...

이름만 불러도

감격에 벅찬

내

하나님

좋으신 분

하아..

겸손의 미학

나의 약점
꼭꼭 숨기고 싶다
숨기고 싶은 만큼
자꾸만 커가는 두려움

나의 부끄러움
누구에게도 들키고 싶지 않다
들키고 싶지 않은 만큼
자꾸만 커가는 불안함

육체의 가시가 되어
하루에도 수 십 번씩
나를 괴롭게 하는 것들
내게서 떠나가기를
사도바울의 고백처럼 세 번,
아니 삼천 번도 넘게 기도했다

그런데 하나님은
나의 약점을 없애주지 않으셨다
하나님은 나의 부끄러움을 잊지 말라 하셨다

내가 원하는 만큼 완벽했다면
입술로는 은혜를 감사하면서
속으로는 당연한 것이라 자만했을지도

내가 원하는 만큼 거룩했다면
입술로는 사랑을 이야기하면서
속으로는 누군가를 무시하고 정죄했을지도

더욱 하나님 앞에 나아갈 때 낮아지게 하시기 위해서 일까
더욱 사람들에게 다가갈 때 낮아지게 하시기 위해서 일까

솔직한 고백이 모든 사람들의 공감을 사는 것은 아니기에
여전히 숨겨두고 싶은 약점과 부끄러움들
그러나 그 약함을 하나님 앞에 내려놓으면
약할 때 온전하여진다는
내 은혜가 내게 족하다는
아마도 겸손의 미학일까

더러운 눈물도 아프다

내 속을
　　후벼 돌아
　　　　내 죄를 씻긴 물
　　　그러나
　　　　　더러운 눈물도
　　　　　　　　　아프다

정죄와 자유

그들을 정죄하지 않는 나의 마음이
또 다른 의가 되지 않게 하소서
마치 나만 사랑이 많은 것처럼
교만하지 않게 하소서

스스로 정죄하지 않는 마음이
지나친 방종이 되지 않게 하소서
인간은 원래 어쩔 수 없다고
거짓 안위에 빠지지 않게 하소서

피를 흘리기 까지 싸우지 않고서는
자유하지 말라는 말씀처럼
깊은 절망 속에 내 던져진 자에게야
손을 뻗게 하시고
깊은 탄식에 빠진 나에게야
손을 뻗어 주소서

그러나 정죄의 시간이 너무 오래면
자칫 사단에게 삼키 울까 두려우니
절망의 나락으로 한없이 떨어질 때
내 앞에 피 묻은 붉은 줄 내리워 주시고
그 줄 붙잡은 나를 이끌어 자유의 언덕에 서게 하소서

勞我 _ 노아

부서지고 가루가 되어

나는 완전히 사라지고

성령이 다시 빚어

주님의 형상 만드소서

2007년 여름 내 인생의 회심 ; 옛 자아의 죽음이 실재가 되고 성령의 생명으로 태어나다

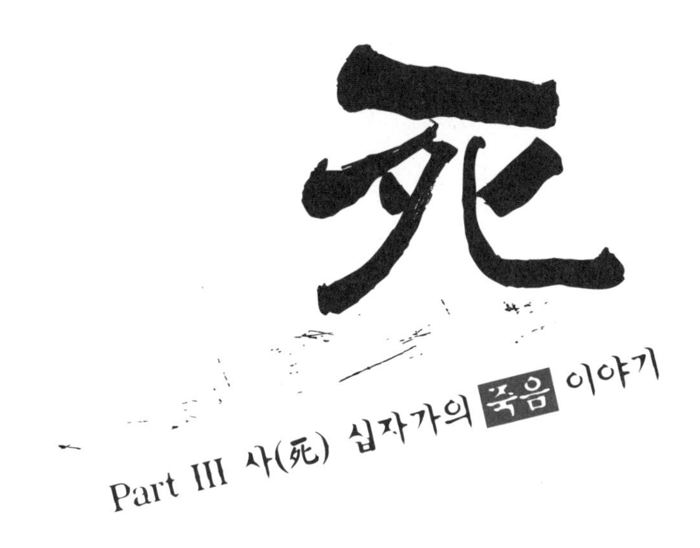
死
Part III 사(死) 십자가의 죽음 이야기

Miracle

기적

예수께서 대답하여 가라사대 악하고
음란한 세대가 표적을 구하나
선지자 요나의 표적 밖에는 보일 표적이 없느니라
- 마태복음 12:39 -

기적이란
있을 수 없는 일이 일어나는 걸 말하지
자, 기적을 보여봐
병을 고치던지
죽은 자를 살리던지
아니 일단
그 십자가에서 내려와 봐
슈퍼맨처럼
그럼 믿어 줄께

.
.

봐, 기적은 무슨...
아무 일도 없잖아
조용해
아주 조용해
이런, 죽었잖아

.
.

기적이 일어나고 있어
용서받을 수 없는 너희가
용서받을 수 있는
죽을 수밖에 없는 너희가
죽지 않고 살 수 있는
기적이
일어나고 있어
조용히
아주 조용히

.
.

시체를 내려
혹시나 기대했는데
역시나 보통 인간이었어
기적은 무슨...
기적은 무슨...

불쌍한.. 예수 그리스도

아 저 피 튀김 너무 끔찍해
너는 눈감고 돌아서서
불빛아래 여인의 흔들거림에 빠져간다

아 저 망치소리 비명소리
너는 귀 막고 돌아서서
달콤한 속삭임에 귀 기울여 좇아 간다

누군가가 저 사람은 아니라고 말해야 하는 거 아냐
너는 입 다물고 돌아서서
그녀와 함께 들어가 술 마시고 떠들어 댄다

그가 너 대신
피를 쏟고 몸이 찢기고 억울한 십자가에서 숨을 헐떡이는 동안
넌 그녀와 함께 즐겁게 먹고 마신다

불쌍한 예수 그리스도...
그를 더욱 불쌍하게 만드는 너...

그는 멸시를 받아서 사람에게 싫어 버린바 되었으며
간고를 많이 겪었으며 질고를 아는 자라
마치 사람들에게 얼굴을 가리우고 보지 않음을 받는 자 같아서
멸시를 당하였고 우리도 그를 귀히 여기지 아니하였도다
이사야 53:3 -

군병과의 대화

네가 하나님의 아들이라고?
내가 너를 사랑 한단다

더 채찍에 맞아야 정신을 차리겠어?
내가 너를 사랑 한단다

이 커다란 못이 두렵지 않아?
내가 너를 사랑 한단다

봐, 네 손을 뚫고 들어간다
내가 너를 사랑 한단다

아프지 않은가?
내가 너를 사랑 한단다

너의 살은 찢기고
내가 너를 사랑한단다

온 종일 형틀에 달린 너는
내가 너를 사랑한단다

온 몸의 피를 쏟아냈는데
내가 너를 사랑한단다

이래도 나를 사랑한다고?
내가 너를 사랑 한단다

나는 너를 조롱하였고
내가 너를 사랑 한단다

나는 너를 못 박았는데
내가 너를 사랑한단다

마지막 할 말이 그것 뿐 인가?
내가 너를 사랑 한단다

미치겠군, 미치지 않고서야
내가 너를 사랑 한단다

어서 죽어버려
내가 너를 사랑 한단다

어서
내가 너를
너를
..
.

이에 예수께서 가라사대
아버지여 저희를 사하여 주옵소서
자기의 하는 것을 알지 못함이니이다 하시더라
- 누가복음 23:34 -

너무 간단한 구원

예수께서 신 포도주를 받으신 후 가라사대 다 이루었다 하시고
머리를 숙이시고 영혼이 돌아가시니라
요한복음 19:30 -

너무 간단한 구원
도를 닦아도 되지 않아
고행을 할 필요도 없고
의식을 치를 것도 없어
그저 믿기만 하면 돼
너무 간단한 구원...

너무 간단한 구원
인간의 몸으로 태어나야 했고
배고픔을 참고 기도해야 했으며
수없는 모함과 위협에 시달려야 했다
사랑하는 사람에게 배신을 당하고
사람들의 야유 속에 억울한 누명을 써야했으며
그들이 뱉은 침은 얼굴을 흘러내려야 했다
머리의 가시관이 살을 파고 들어오고
옷은 갈기갈기 벗기워졌으며
살이 너덜너덜해질 때까지 계속되는 채찍질
무거운 통나무를 이고 언덕을 올라야 했으며
양 손목에 대못이,
발등에는 더 큰 못이 뚫고 들어와야 했다
너무 간단한 구원...
여섯 시간 내내 온몸의 피를 다 쏟으며
타는 듯한 목마름을 견뎌야 했고
마지막 기도를 마친 후 그 오랜 고통의 숨을 거두어야 했다
너무도
너무도 간단한 구원...

십자가에 달리신 예수님을 보면

십자가에 달리신 예수님을 보면
왜 내가 예수님을 사랑해야 하는지 알게 됩니다
그것은 예수님이 나를 사랑하셨기 때문입니다

십자가에 달리신 예수님을 보면
왜 내가 나를 사랑해야 하는지 알게 됩니다
그것은 예수님도 나를 사랑하셨기 때문입니다

십자가에 달리신 예수님을 보면
왜 내가 그들을 사랑해야 하는지 알게 됩니다
그것은 예수님이 나도 사랑하셨기 때문입니다

죽음의 실재

이제까지 나는 십자가에 달리신 예수님을 보았습니다
그리고 나는 살아남았습니다
나는 그분의 피 묻은 발을 어루만지며
당신을 위해 살겠노라 눈물 흘립니다
그러나 살아남아 있는 나는
결국 나처럼 살았습니다

이제 나는 예수님과 함께 십자가에 달려죽은 나 자신을 봅니다
보는 것만으로도 힘들고 마음이 아픈데
죽음의 깊이에 눌려 눈물도 나지 않습니다
그러나 죽어 달린 나는
비로소 예수님처럼 살게 됩니다

내가 그리스도와 함께 십자가에 못 박혔나니
그런즉 이제는 내가 산 것이 아니요
오직 내 안에 그리스도께서 사신 것이라
이제 내가 육체 가운데 사는 것은 나를 사랑하사
나를 위하여 자기 몸을 버리신
하나님의 아들을 믿는 믿음 안에서 사는 것이라
갈라디아서 2:20 –

Part V 랑(郞) _ 노래가 된 사랑 이야기

부모님
난 지금껏 당신들께 염려와 걱정이었죠
그런 나를 위해 눈물로 기도하셨던
놀라운 사랑 감사해요

부모님
난 지금도 당신들께 여전히 아픔이란 걸 알죠
그런 나를 용납하고 용서해주세요
나를 사랑하시니까요

하지만 언젠가는 기쁨이 될 거예요
지금은 절 이해 못 하실 지라도
약속해 드릴께요 결코 헛되지 않게
날 향한 부모님의 기도

부모님
난 지금껏 당신들께 아무것도 해 드린 것 없죠
그런 나를 위해 피땀을 흘려주셨던
한없는 은혜 감사해요

부모님
난 지금도 당신들께 커다란 실망이란 걸 알죠
그런 나를 용납하고 용서해주세요
나를 사랑 하시니까요

하지만 언젠가는 기쁨이 될 거예요
지금은 절 이해 못 하실 지라도
약속해 드릴께요 결코 헛되지 않게
날 향한 부모님의 눈물

하지만 언젠가는 웃음이 될 거예요
지금은 절 이해 못 하실 지라도
나를 믿어주세요 결코 헛되지 않게
날 향한 부모님의 기도

나도 시시때때로 눈물 많이 흘리며
내가 잊지 않고 기억합니다
귀하고 귀하다
우리 부모님
기도하시던
그때 일을 지금도
눈물 많이 흘리며
내가 잊지 않고
기억합니다

비가 오면 날 기억해

비가 오면 날 기억해
비를 무척이나 좋아하던
그 비를 걸으면 하나둘
생각이 나겠지

비가 오면 날 기억해
그 빗속에 살며시 잠들면
때로는 너의 생각에
잠 못 이루는 날 꿈꾸겠지

그러다가 내가 그리워지거든
혹시라도 그렇거든
내게 전화 한번만이라도
해줄 수 있겠니

그러다가 너무 보고 싶어지거든
만약에 정말 그렇거든
웃는 얼굴로 나를 다시 찾아
와줄 수 있겠니

비가 오면 날 기억해
비를 무척이나 좋아하던
그때 노래를 들으면
생각이 나겠지

비가 오면 날 기억해
너를 떠나보내던 날처럼
애써 눈물을 감추던
나처럼 눈물이 날지 모르겠지

그러다가 내가 그리워지거든
혹시라도 그렇거든
내게 전화 한번만이라도
해줄 수 있겠니

그러다가 너무 보고 싶어지거든
만약에 정말 그렇거든
웃는 얼굴로 나를 찾아
와줄 수 있겠니

비오는 날에…

고향생각이 난다

– 어느 탈북자의 노래 –

따뜻한 방에 누워도
잠들 수가 없다
밤새 뒤척인다

따뜻한 밥을 먹어도
넘길 수가 없다
목이 메어 온다

따뜻한 옷이 있어도
입을 수가 없다
그렇게 떨고 있다

따뜻한 봄이 왔어도
난 여전히 춥다
미안한 마음에

고향 생각이 난다
자꾸 보고 싶다
두고 온 가족들이 그립다
꿈에라도 만날 수 있을까
가슴 저미며 노래를 부른다

따뜻한 바람이 불어도
맘 열수가 없다
그렇게 혼자 있다

따뜻한 사람을 만나도
정들 수가 없다
미안한 마음에

고향 생각이 난다
자꾸 보고 싶다
두고 온 가족들이 그립다
꿈에라도 가볼 수 있을까
가슴 저미며 나는 기도한다

희망고문

한참을 망설였었죠
용기가 없었나봐요
하지만 너무 늦어버렸나요
그대를 머물게 하기엔

잘해주고 싶었는데
부담이 되었었나요
아니면 아픔이었던 건가요
그대를 생각하면 할수록

정녕 그대여 나를 사랑할수 없는거라면
나를 아주 멀리 떠나가세요
가슴 속에 남은 상처되어 날 슬프게 하는
기억보단 나을테니까

나를 걱정 하진 말아요
난 정말 괜찮을 거에요
지금은 힘이 들어도 언젠가
고마울꺼라 생각하기에

정녕 그대여 나를 사랑할수 없는거라면
나를 아주 멀리 떠나가세요
가슴 속에 남은 상처되어 날 슬프게 하는
기억보단 나을테니까

수년전, 시대를 풍미한
한 대중가요작곡가의 죽음을 다룬 다큐멘타리를
보다가 한 10분만에 만든 노래
허무한 죽음을 죽지 않기를...

살고 싶어요

살고 싶어요
고통뿐이라 말하지만
그래도 살아있다는건
너무 행복하니까

살고 싶어요
아직 할일이 많은데
이렇게 떠나가기엔
너무 슬프잖아요

단 하루만이라도
내게 허락하신다면
이렇게 살지는 이렇게 살지는 않을텐데

단 하루만이라도
내게 허락하신다면
정말로 소중한 그것을 찾을 수 있을텐데

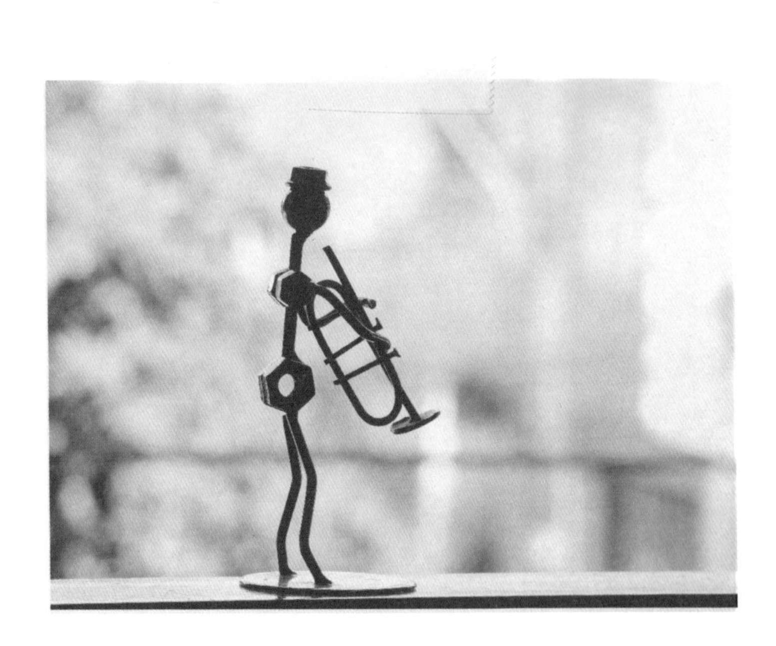

내 맘이 힘이 들 때에

내 맘이 힘이 들 때에
주님은 내게 찾아오셔서
지친 맘 상한 영혼을
돌보시네 내 사랑의 주님

하늘의 사랑

주님 한 분 밖에는
갈망하지 않아요
마른 땅 위에 피어난
들풀처럼 하늘을 바랄 때

오 놀라운 사랑 파도처럼
내 맘을 적시고 꽃을 피워
오 하늘의 사랑 내려 내 눈가에
빗물처럼 흐르죠

하나님의 사랑

하나님의 사랑
사람이 되셨네
나의 죄를 지고
날 대신해

아들을 버리신
아버지의 슬픔
아들의 죽음을
보는 아픔

God demonstrates
his own love for us in this:
While we were still sinners,
christ died for us
-Romans 5:8-

오 주의 그 사랑
나를 울게 해
나무에 달린
날 위해 죽으신

천번을 불러도
목마른 사랑
가슴에 맺힌
나의 십자가

그 사랑
그 생명
그 은혜
나 찬양하네

그 사랑

2008년 봄 기도하다 나온 노래

주님의 십자가
나 찬송합니다
주님의 보혈이
내 안에 흐르네

주님의 십자가

주님의 십자가
나 경배합니다
주님의 성령이
나를 덮으시네

주님의 십자가
나 감사합니다
주님의 생명이
내 것이 되었네

美親 사랑 이야기

왜 날 사랑 하시나요
왜 나 같은 걸 버리지 않나요
그 사랑을 저버리고 또 더럽혀진
그런 나를 받아 주셨네

왜 날 찾아 오셨나요
왜 아낌없이 내어주셨나요
이해할 수 없는 하나님의 사랑
그의 아들의 생명 주시기까지

그토록 사랑할 수가 있을까
그 하나님이 나의 친구가 되고
십자가에 달려 죽을 수 있을까
그래 그건 정말 미친 사랑 이야기

왜 날 사랑 하시나요
왜 내 곁에서 떠나지 않나요
나도 사랑할 수 없는 날 사랑한
아름다운 친구의 이야기처럼

그토록 사랑할 수가 있을까
그 하나님이 나의 친구가 되고
십자가에 달려 죽을 수 있을까
그래 그건 정말 미친 사랑 이야기

그토록 사랑한 아들의 생명을
가치 없는 내게 주셨네

그토록 사랑할 수가 있을까
그 하나님이 나의 친구가 되고
십자가에 달려 죽을 수 있을까
그래 그건 정말 미친 사랑 이야기
그래 그건 정말 미친 사랑 이야기
그래 그건 정말 미친 사랑 이야기

사람이 친구를 위하여 자기 목숨을 버리면 이에서
더 큰 사랑이 없나니 너희가 나의 명하는대로 행하면 곧 나의 친구라
이제부터는 너희를 종이라 하지 아니하리니
종은 주인의 하는 것을 알지 못함이라 너희를 친구라 하였노니
내가 내 아버지께 들은 것을 다 너희에게 알게 하였음이니라
– 요한복음 15:13~15 –

나의 유일한 소망

날개를 꺾인 새처럼 비틀거리던 나를
생명을 꺾은 나무에서
누군가 기다려

내가 혼자라고 느낄 때 많이 힘들었지만
보이지 않는 그 사랑이
날 붙들고 있네

내가 가는 길이 어딘지 어디서 왔는지
내가 알지 못한 그 길을
내게 보여 주시네

웃을 수 있게 걸을 수 있게
내 삶에 용기를 주신 그분 예수
나의 유일한 소망

꿈꿀 수 있게 날을 수 있게
내 삶에 용기를 주신 그분 예수
나의 유일한 희망

아버지

아버지의 얼굴이
눈앞에 어른거려도
말없이 그저 바라만보시네

하늘나라에서도
기도하고 계시겠지
나 홀로 남겨 두지 않도록
주의 성령이 계시도록

당신의 달려갈 길 다 마치고
나의 달려갈 길 가라시네
그 길의 끝에 계신 주님의 영광
눈물 없는 영원한 나라

내게 주신 믿음과 축복의 삶 잃지 않으리
세상 끝 날에 우리 주님과
모두 하늘에서 만나요

직 복음, 교회,
라와 민족만을 위해
명의 길 다 달려가시고
많은 신앙의 자녀들을 위해
금도 천국에서 기도하고 계시다

)17년 10월 26일 소천하신
랑하고 존경하는 아버지 최덕순목사님을 기리며

Matthew 13:31-32
CAFE
겨자 나무
Kitchen
나 더욱 주를 사랑합니다.
나 더욱 주를 사랑합니다..

더욱

나의 가장 낮은 마음을
주님께서 기뻐하시고
주의 은혜로 날 채워주시니
더욱 의지합니다

나의 연약한 마음을
주님께서 잘 아시니
내 생명 다해 주 사랑하도록
더욱 사모합니다

주의 사랑 날 붙드니
나 두려워할 것이 없도다
주의 은혜 나를 감싸니
나 더욱 주를 사랑합니다

주의 사랑 날 붙드니
나 두려워할 것이 없도다
주의 은혜 나를 감싸니
나 더욱 주를 사랑합니다

땅 끝으로 가는 그대에게

당신이 길을 걸을 때
보내시는 곳으로
내가 당신과 함께 갈께요

당신이 길을 멈출 때
보내셨던 곳에서
내가 당신과 함께 머물러요

당신이 그들을 향해
생명을 안고 갈 때
내가 그 길을 열어 놓께요

당신이 그들 앞에서
생명을 나눌 때에
내가 당신을 지켜 볼께요

땅 끝에서 당신이 설지라도
거친 십자가 지고 힘에 겨워 지칠 때
힘을 내요 내가 곁에 있어요
당신이 설 수 있게 함께 십자가 지며

당신이 웃고 있을 때
두 손에 열매를 안고
내가 당신과 기쁨을 나눠요

당신이 울고 있을 때
아무도 없다 느낄 때
내가 당신을 위해 기도해요

땅 끝에서 당신이 설지라도
거친 십자가 지고 힘에 겨워 지칠 때
힘을 내요 내가 곁에 있어요
당신이 설 수 있게 함께 십자가 지며

거친 파도 가파른 절벽에도
두려워하지 마요 떠나지 않을께요
땅 끝에서 우리 함께 올라가
그의 얼굴 대하는 영원한 그날까지

영원히 함께... 해요

출판일 2018년 08월 30일
지은이 최상일
발행인 손영선
디자인 박정민, 신예경, 이상훈, 최상일(표지그림)
출판사 (주)키네마인
값 17,000원
ISBN 978-89-94741-32-1